C000252450

UNIT 1

1.1 Whole number arithmetic

Page 1 **HWK 1M**

1. (a) $3 \times \boxed{100} + 6$ (b) $5 \times \boxed{1000} + 3$ (c) $4 \times \boxed{10} + \boxed{9}$

   (d) $6 \times \boxed{10} + 5$ (e) $2 \times \boxed{100} + \boxed{8}$ (f) $9 \times \boxed{1000} + 4 \times \boxed{10}$

2. (a) four thousand three hundred and fifteen (b) seventy thousand
   (c) thirty-two thousand one hundred and forty
   (d) six million, eight hundred and forty-two thousand, three hundred

3. $4000 + 72 - 200 - 6$ 4. (a) 6 numbers (b) 732 (c) 2664 (d) 36

5. (a) 10 000 (b) 1000 6. eight million, one hundred and four thousand, six hundred and fifty three

7. $a = 10\,000$, $b = 1000$, $c = 10$, $d = 1$

Page 1 **HWK 2M**

1. 225 2. 3435 3. 125

4. (a)

309	217	496	718

526	713	1214

1239	1927

3166

(b)

2318	643	82	728	4315

2961	725	810	5043

3686	1535	5853

5221	7388

12609

5. (a)

×	8	3	6	9	2
4	32	12	24	36	8
6	48	18	36	54	12
7	56	21	42	63	14
5	40	15	30	45	10
9	72	27	54	81	18

(b)

×	6	7	4	5	8
9	54	63	36	45	72
3	18	21	12	15	24
8	48	56	32	40	64
4	24	28	16	20	32
7	42	49	28	35	56

6. (a) 336 (b) 4128 (c) 1122 7. 896

Page 2 **HWK 2E**

¹2	4	²6		³2	⁴7
2		3		⁵5	9
⁶8	4	7	⁷3	6	
		⁸2	9		⁹2
¹⁰6	¹¹8		¹²6	3	4
¹³5	7	4	0		3

Page 3   **HWK 3M**

1. 168   **2.** 270 000   **3.** (a) 186   (b) 23   (c) 829   (d) 50

   (e) 588   (f) 192   **4.** 45 and 54   **5.** 75 hours   **6.** (a) $3 + 8 \times 6$ (b) $5 \times 2 - 9$

   (c) $4 \times 6 + 5 - 8$ (d) $9 \div 3 + 4 - 7$ **7.** 696   **8.** 24 308   **9.** £530 000   **10.** 8, 4 and 9

Page 3   **HWK 4M**

1. ◢ = 0   **2.** ◤ = 4   **3.** ☺ = 81   **4.** ▬ = 17   **5.** ? = 28   **6.** ⊲ = 32

7. ★ = 76   **8.** $ = 0   **9.** ⊲ = 22   **10.** ? = 3   **11.** ■ = 100   **12.** $ = 27

13. ☺ = 32   **14.** ↑ = 8   **15.** ◢ = 100

Page 4   **HWK 4E**

1. ★ = 3   **2.** ◢ = 39   **3.** ■ = 8   **4.** ↑ = 7   **5.** ☺ = 5   **6.** ? = 15

7. ◣ = 11   **8.** ● = 8   **9.** ⊲ = 20   **10.** $ = 84   **11.** ▬ = 10   **12.** ☺ = 16

13. ? = 3   **14.** ● = 25   **15.** ↑ = 100   **16.** ⊲ = 75   **17.** ■ = 4   **18.** ▼ = 300

19. ◢ = 9   **20.** $ = 15

Page 4   **HWK 5M**

1. −3   **2.** ×6   **3.** ÷2   **4.** −7, 21→ 14 , 19→ 12 , 17 →−10

5. ×8, 9→ 72 , 5 →40, 20→ 160   **6.** +13, 6→ 19 , 31 →44, 5 →18

7. ×9, 2→ 18 , 9 →81, 4 →36   **8.** −19, 23→ 4 , 54→ 35 , 38 →19

9. ÷4, 44→ 11 , 80 →20, 28 →7

Page 5   **HWK 5E**

1. ×2, +4   **2.** ×3, −5   **3.** ×7, −4   **4.** (a) ×4   (b) +15   (c) ×2   (d) +48

5. In 3, Out 11   **6.** In 5, Out 13

Page 6   **HWK 6M**

1. (a) $49 \div \boxed{7} = 7$ (b) $36 \div \boxed{3} = 12$ (c) $\boxed{28} \div 4 = 7$ (d) $\boxed{18} \div 9 = 2$ (e) $400 \div \boxed{10} = 40$

   (f) $\boxed{100} \div 5 = 20$ (g) $\boxed{72} \div 8 = 9$ (h) $63 \div \boxed{7} = 9$ (i) $\boxed{48} \div 6 = 8$ (j) $300 \div \boxed{60} = 5$

   (k) $90 \div \boxed{10} = 9$ (l) $\boxed{110} \div 10 = 11$ **2.** (a) 54, 6, $\boxed{9}$, 4, $\boxed{36}$, 6, $\boxed{6}$, 4, $\boxed{24}$, 3, $\boxed{8}$, 7, $\boxed{56}$

   (b) 56, 8, $\boxed{7}$, 6, $\boxed{42}$, 2, $\boxed{21}$, 7, $\boxed{3}$, 10, $\boxed{30}$, 6, $\boxed{5}$, 9, $\boxed{45}$, 2, $\boxed{90}$, 9, $\boxed{10}$

3. (a) $(6 + \boxed{9}) \div 3 = 5$ (b) $(23 + \boxed{25}) \div 8 = 6$ (c) $(67 - \boxed{32}) \div 5 = 7$ (d) $(81 - \boxed{25}) \div 7 = 8$

   (e) $(27 + \boxed{53}) \div 8 = 10$ (f) $(116 - \boxed{62}) \div 6 = 9$ **4.** 2   **5.** 64   **6.** 54

Page 7 **HWK 6E**

1. (a)

	4	3	8	5
9	36	27	72	45
6	24	18	48	30
2	8	6	16	10
7	28	21	56	35

(b)

	3	7	2	5
6	18	42	12	30
4	12	28	8	20
8	24	56	16	40
9	27	63	18	45

(c)

	2	6	3	9
5	10	30	15	45
8	16	48	24	72
4	8	24	12	36
7	14	42	21	63

(d)

	7	9	5	3
2	14	18	10	6
4	28	36	20	12
8	56	72	40	24
6	42	54	30	18

2. (a)

	8	3	9	5	2
4	32	12	36	20	8
6	48	18	54	30	12
3	24	9	27	15	6
9	72	27	81	45	18
7	56	21	63	35	14

(b)

	2	9	5	8	7
4	8	36	20	32	28
6	12	54	30	48	42
7	14	63	35	56	49
3	6	27	15	24	21
5	10	45	25	40	35

(c)

	7	4	3	5	8
6	42	24	18	30	48
7	49	28	21	35	56
9	63	36	27	45	72
5	35	20	15	25	40
3	21	12	9	15	24

Page 7 **HWK 7M/7E**

1. 32   **2.** 53   **3.** 27   **4.** 24   **5.** 67   **6.** 46

7. 69   **8.** 73   **9.** 87   **10.** 49   **11.** 683   **12.** 572

13. 96   **14.** 54   **15.** 82   **16.** 659   **17.** 638   **18.** 457

19. 491   **20.** 795   **21.** $8\overline{)2936}$ by 5   **22.** £763   **23.** 17   **24.** Yes by 15

25. 685   **26.** (a) 6597   (b) 89126   (c) 356849

Page 8 **HWK 8M**

1. 39 r 3   **2.** 87 r 6   **3.** 39 r 4   **4.** 82 r 4   **5.** 57 r 6   **6.** 502 r 2

7. 1722 r 1   **8.** 1155 r 1   **9.** 2817 ÷ 7 by 1   **10.** 569 r 7   **11.** 1215 r 3   **12.** 10399 r 5

13. 5632 r 4   **14.** 448 r 4   **15.** 14593 r 3   **16.** 99530 r 3   **17.** 47195 r 4

Page 8 **HWK 8E**

1. 4   **2.** 7   **3.** 8   **4.** 51   **5.** 28   **6.** 13

7. (a) 18   (b) 30   **8.** 71   **9.** 33   **10.** 2166

11. (a) 5   (b) 3   (c) $8\overline{)5150}$ or $9\overline{)5793}$

1.2 Long multiplication and division

Page 9 **HWK 1M**

1. 832   **2.** 910   **3.** 2438   **4.** 2294   **5.** 1876   **6.** 3612

7. 3666   **8.** 4982   **9.** (a) £979   (b) £2611

Page 10 **HWK 1E**

1. 8242   **2.** 9761   **3.** 28404   **4.** 33028   **5.** 32264   **6.** 52800

7. 43134   **8.** 212872   **9.** 276   **10.** Carla by £136   **11.** 8784 hours

12. approx. 3363840000

Page 10 **HWK 2M**

1. 147   **2.** 42   **3.** 53   **4.** 25   **5.** 16   **6.** 51

7. 36   **8.** 63   **9.** 17   **10.** 64   **11.** 36   **12.** 89

Page 10 **HWK 2E**

1. 17 r 13   **2.** 14 r 24   **3.** 38 r 17   **4.** 17 r 12   **5.** 17   **6.** 14, 10 left over

7. 14   **8.** (a) 36   (b) 27   (c) 67   **9.** 19, 6 extra   **10.** 14, 24p. left over

11.

	13	35	32
23	299	805	736
26	338	910	832
19	247	665	608

1.3 Decimals

Page 11 **HWK 1M**

1. (a) 0.8   (b) 2.2   (c) 0.9   (d) 2.6   (e) 2.8   (f) 1.6

     (g) 2.4   (h) 1.9   **2.** (a) 4.5 kg   (b) 0.5 kg   **3.** $\frac{4}{10}, \frac{2}{100}, \frac{7}{1000}$ **4.** 0.09

5. 0.17   **6.** 0.3 kg   **7.** (a) 0.62   (b) 0.533   (c) 0.82   (d) 0.9

     (e) 5.7   (f) 0.8   (g) $\frac{7}{10}$ (h) neither   (i) 3.3   (j) 0.7

8. (a) 0.2   (b) 0.2   (c) 0.006   (d) 0.3   **9.** 0.018   **10.** 0.003

Page 12 **HWK 2M**

1. (a) 0.28, 0.33, 0.48   (b) 0.19, 0.2, 0.34   (c) 0.03, 0.1, 0.12

     (d) 0.903, 0.92, 0.925   (e) 0.62, 0.68, 0.7, 0.73   (f) 9.2, 9.31, 9.36, 9.399

     (g) 0.08, 0.24, 0.307, 0.4   (h) 0.4, 0.501, 0.52, 0.53   **2.** (a) 9.42   (b) 9.93

3. (a) 7.288   (b) 16.517   **4.** (a) Tom

     (b) Tom, Carl, Dan, Matt, Alex, Sunil   **5.** $\frac{3}{100}$, 0.032, 0.04, $\frac{3}{10}$, 0.309, $\frac{39}{100}$, 0.4

Page 12 **HWK 2E**

1. 0.4   **2.** 3.8   **3.** 1.7   **4.** 7.6   **5.** 2.03   **6.** 0.04

7. 48   **8.** 0.43   **9.** 3.25   **10.** 2.25   **11.** 62.5   **12.** 4.45

13. 7.8   **14.** 6.45   **15.** 17.6   **16.** 0.28   **17.** 6.44   **18.** 0.7155

Page 13   **HWK 3M**

1. 13.63   2. 20.6   3. 2.8   4. 1.7   5. 13.47   6. 9.79
7. 1.3   8. 2.2   9. 7.44   10. 25.42   11. 4.7   12. 3.24
13. 13.18   14. 16.016   15. 8.72   16. 11.559   17. (a) 1.45   (b) 10.13
    (c) 1.73   (d) 8.18   18. (a) 3 . $\boxed{2}$ 6   (b) $\boxed{5}$. 7 3 $\boxed{8}$ (c) 6 . $\boxed{8}$ 2

$$+ \boxed{2} . 9 \boxed{3}$$
$$\overline{6 . 1 \quad 9}$$

$$+ 4 . 1 \boxed{7} 4$$
$$\overline{9 . \boxed{9} 1 2}$$

$$- 4 . 1 \boxed{7}$$
$$\overline{\boxed{2} . 6 \quad 5}$$

Page 13   **HWK 3E**

1. 61p   2. £6.63   3. £5.79   4. Alonso by 16p   5. (a) No   (b) £8.81
6. (a) 0.043   (b) 5.741   (c) 9.738   (d) 14.246
7.

	1.63	2.9	0.74	5.6
3.9	5.53	6.8	4.64	9.5
0.25	1.88	3.15	0.99	5.85
3.18	4.81	6.08	3.92	8.78
4.2	5.83	7.1	4.94	9.8

8. £1.95   9. 3.6

Page 14   **HWK 4M**

1. (a) 100   (b) 3.2   (c) 9.46   (d) 1000   (e) 0.144   (f) 10
   (g) 100   (h) 8   (i) 571   2. £230   3. (a) 6.2, 620, 6200, 62
   (b) 0.8, 80, 8, 800   (c) 8.9, 890, 89, 0.89   (d) 20, 2, 20, 0.2   (e) 6.1, 610, 0.61, 6.1
   (f) 0.834, 834, 83.4, 8340   (g) 93, 9300, 930, 9.3   (h) 11.9, 1.19, 119, 0.119
4. £3.80   5. 254 m

Page 15   **HWK 5M**

1. 16.2   2. 0.42   3. 24.05   4. 4.24   5. 110.7   6. 13.84
7. 19.026   8. 0.245   9. 174.72   10. 22.698   11. 286.83   12. 81.6
13. £43.25   14. £78.80   15. (a) 0.6   (b) 3   (c) 1.5   (d) 0.9

Page 15   **HWK 5E**

1. £11.04   2. 4.23 kg   3. 11 pounds   4. £4.92   5. £1.98
6. (a) 2.3, 13.8, 1.38, 5.52   (b) 0.9, 7.2, 720, 120   (c) 0.07, 0.28, 2.8, 1.4   7. £573
8. 21 bottles   9. 437.50 euros   10. 92.7 cm^3 11. 2.4, 2.5, 2.6   12. 144.3

Page 16   **HWK 6M/6E**

1. (a) 5.19   (b) 12.8   (c) 4.28   (d) 32.3   (e) 21.64   (f) 8.89

(g) 15.1   (h) 6.32   (i) 417.9   **2.** £68.25   **3.** £28.60   **4.** 6.4 kg

5. 2.14 litres   **6.** B   **7.** 51.6 kg   **8.** A   **9.** £16.25   **10.** Q by 0.3

Page 17   **HWK 7M/7E**

1. (a) 0.24   (b) 0.056   (c) 0.54   (d) 7.2   (e) 0.35   (f) 0.006

(g) 0.64   (h) 16.8   (i) 1.08   (j) 0.0028   (k) 0.16   (l) 0.0039

2. (a) 0.21   (b) 0.02   (c) 7   (d) 0.7   (e) 0.4   (f) 90

3. £2.52   **4.** £7.42   **5.** 24 m   **6.** (a) 0.09   (b) 0.49   (c) 0.28

(d) 0.008   **7.** B by 0.334 m^3

1.4 Using a calculator

Page 18   **HWK 1M**

1. 2   **2.** 17   **3.** 31   **4.** 19   **5.** 54   **6.** 41

7. 11   **8.** 16   **9.** 12   **10.** 12   **11.** 1   **12.** 72

13. 19   **14.** 73   **15.** 4   **16.** (a) $5 \times \boxed{4} + 2 = 22$ (b) $\boxed{3} \times 7 - 6 = 15$

(c) $6 + 10 \div \boxed{5} = 8$ (d) $\boxed{5} + 3 \times 8 = 29$ (e) $(8 - \boxed{4}) \times 7 = 28$ (f) $15 \div (1 + \boxed{4}) = 3$

(g) $30 \div \boxed{6} + 4 = 9$ (h) $(\boxed{3} + 8) \times 6 = 66$ (i) $16 + 18 \div \boxed{2} = 25$

Page 18   **HWK 1E**

1. 42   **2.** 14   **3.** 12   **4.** 5   **5.** 21   **6.** 0   **7.** 15   **8.** 31

9. 57   **10.** 48   **11.** 8   **12.** 70   **13.** 4   **14.** 81   **15.** 17   **16.** 30

17. 60   **18.** 8   **19.** 188   **20.** 41   **21.** 123   **22.** 3   **23.** 2   **24.** 154

25. 5   **26.** 3   **27.** 2   **28.** 4   **29.** 5   **30.** 1

Page 19   **HWK 2M**

1. $(4 + 3) \times 6 = 42$ **2.** $5 \times (4 - 1) = 15$ **3.** $7 + (5 \times 6) = 37$

4. $56 \div (10 - 2) = 7$ **5.** $(5 \times 4) + (2 \times 6) = 42$ **6.** $8 \times (7 - 2) - 9 = 31$

7. $(13 + 12) \div 5 = 5$ **8.** $(18 + 18 - 8) \div 4 = 7$ **9.** $4 \times (6 + 9 - 5) = 40$

10. $42 - (6 \times 6) = 6$ **11.** $15 + (6 \times 3) + 7 = 40$ **12.** $(24 - 9) \div (27 \div 9) = 5$

13. $(41 + 22) \div (3 + 6) = 7$ **14.** $(8 + 10) \times 0 + 6 = 6$ **15.** $(58 - 4) \div (48 \div 8) = 9$

16. 64   **17.** 2   **18.** 56   **19.** 150   **20.** 27   **21.** 108   **22.** 4   **23.** 81

24. 72   **25.** 40   **26.** 21   **27.** 110   **28.** 15   **29.** 12   **30.** 5

Page 20   **HWK 2E**

1. $(8 - 6) \times 3 = 6$ **2.** $(3 + 7) \times 6 = 60$ **3.** $(9 - 3) \times 5 = 30$

4. $32 \div (10 - 2) = 4$ **5.** $8 + 9 \times 4 = 44$ **6.** $10 \times (3 + 7) = 100$

7. $48 \div (12 - 4) = 6$ **8.** $64 \div (6 + 2) = 8$ **9.** $9 \times (5 + 3) = 72$

10. $28 \div (21 \div 3) = 4$ **11.** $(20 - 2) \div (5 + 1) = 3$ **12.** $(5 + 2) \times (9 - 3) = 42$

13. $(6 - 1)^2 + 5 = 30$ **14.** $(7 - 4)^3 \times 2 = 54$

Page 20 **HWK 3M**

1. 2.496   2. 7.73   3. 10.22   4. 2.16   5. 385.2   6. 11.14

7. £94.43   8. £13.13   9. Yes   10. $2 + \dfrac{1.5}{0.25} = 8$, $\dfrac{2 + 1.5}{0.25} = 14$ 11. 11.6

12. 15.1   13. 4.2   14. 114   15. 10.2   16. 6.2   17. 2.66

18. 12.34   19. 1.4

Page 21 **HWK 3E**

¹7	4	²8	6		³3	1
1		1		⁴1	4	
⁵6	2	9	⁶8		2	
		⁷4	7	⁸3	9	⁹4
¹⁰8		5		6		8
¹¹3	¹²6		¹³5	1	3	9
¹⁴6	1	8	2			6

Page 21 **HWK 4M/4E**

1. 15.209375   2. 2.262357414   3. 3.037582211   4. 25.80428571   5. 1.623015873

6. 1.441358025   7. 8.379420774   8. 234.5810346   9. 320.9861   10. 5.068530359

11. 4.571174089   12. 42.031657   13. 0.78 cm   14. £1960.20   15. £852.15

16. 6

1.5 Sequences

Page 22 **HWK 1M/1E**

1. 4, $3\frac{1}{2}$ 2. 2.6, 2.9   3. −6, −8   4. 19, 25   5. 56, 67   6. 1, 0.25

7. 405, 1215   8. 21, 28   9. 0.04, 0.004   10. £18300   11. (a) 64, 32, $\boxed{16}$, 8, 4

   (b) $\boxed{3}$, 8, $\boxed{13}$, 18, 23   (c) 31, 25, $\boxed{19}$, 13, $\boxed{7}$ (d) 1.5, $\boxed{1.75}$, 2, 2.25, $\boxed{2.5}$ 12. (a) 30   (b) 110

13. i, k   14. k, p   15. t, w   16. (a) 480   (b) 45   (c) 607

Page 23 **HWK 2M**

1. (a) 9, 12, 15, 18   (b) 73, 67, 61, 55   (c) 96, 48, 24, 12   (d) 5, 10, 20, 40

2. (a) 8, 14, 20, 26, 32   (b) 3, 12, 48, 192, 768   (c) 80, 40, 20, 10, 5   (d) 33, 29, 25, 21, 17

   (e) 3.7, 4, 4.3, 4.6, 4.9   3. 28   4. (a) subtract 12   (b) divide by 3   (c) subtract 1

   (d) double   (e) multiply difference by 5 each time   (f) add two previous terms

5. (a) 33   (b) 8   (c) 4, 7, 13, 25

Page 24 **HWK 2E**

2. (a) 43, 38, 33, 28, 23   (b) 2, 6, 18, 54, 162   (c) 112, 56, 28, 14, 7

3. $5 \times 99 = 495$, $6 \times 99 = 594$, $7 \times 99 = 693$ **4.** (a) 47 (b) 22 (c) 27 (d) –10

5. November **6.** (a) $44444 \times 8 = 355552$, $444444 \times 8 = 3555552$ (b) 3555555552

7. (a) 3, 7, 15, 31, 63 (b) 2, 3, 7, 23, 87

1.6 Perimeter and area

Page 26 **HWK 1M**

1. 28 cm **2.** (a) square (b) 2 cm **3.** 25 m **4.** (a) 34 cm (b) 56 cm

(c) 72 cm **5.** 111 cm **6.** 10

Page 27 **HWK 1E**

1. 431 m^2 **2.** 52 cm **3.** 7.5 m **4.** (a) 60 cm^2 (b) 108 cm^2 (c) 148 cm^2

(d) 133 cm^2 **5.** (a) 60 cm^2 (b) 158 cm^2 **6.** 32 cm **7.** 44 m^2 **8.** 22

Page 28 **HWK 2M**

1. 72 m^2 **2.** (a) 132 cm^2 (b) 209 cm^2 **3.** 17 cm **4.** 3 m **5.** (a) 126 cm^2

(b) 220 cm^2 **6.** 55 cm^2 **7.** 9 **8.** 240 m^2 **9.** (a) 30 m^2 (b) 16 m^2

(c) 14 m^2

Page 30 **HWK 2E**

1. (a) 9 (b) 12.5 (c) 12 **2.** (a) 11.5 (b) 13 **3.** 36

Page 30 **HWK 3M/3E**

1. 55 **2.** 99 m^2 **3.** 40 m **4.** 96 cm^2 **5.** £544.68 **6.** £3338.55

7. 4488 m^2 **8.** 1.4 hectares **9.** 12 cm **10.** 39

UNIT 2

Page 33 **HWK 1M**

1. (a) mean = 6   (b) median = 7   (c) mode = 9   (d) range = 7
2. (a) mean = 114   (b) median = 112   (c) mode = 120   (d) range = 12
3. (a) mean = 14   (b) median = 14   (c) mode = 15   (d) range = 8
4. (a) mean = 5   (b) median = 4.5   (c) mode = 3   (d) range = 8
5. 42 kg   **6.** 5   **7.** (a) 5   (b) 7   (c) 5.8   **8.** True

Page 33 **HWK 1E**

1. No   **2.** 6, 10   **3.** 4   **4.** (a) impossible   (b) possible   (c) true   (d) impossible
5. (a) 10   (b) 12   **6.** B by 2.5   **7.** 12   **8.** group of 7 picked 4 more strawberries

Page 34 **HWK 2E**

1. (a) median = 3, range = 7   (b) median = 5, range = 12
    (c) 'The median for Year 7 is <u>smaller</u> than the median for Year 10 and the range for Year 7 is <u>smaller</u> than the range for Year 10 (the results for Year 7 are <u>less</u> spread out).'
2. (a) mean = 2.5, range = 4   (b) mean = 3, range = 5

Page 35 **HWK 2M**

1. $130 \div 50 = 2.6$ **2.** (a) 1   (b) 2.3   **3.** (a) Hatton Albion 1.9, Carrow City 1.8
    (b) Hatton Albion by 0.1   **4.** (a) 14.2   (b) 17

2.2 Fractions

Page 36 **HWK 1M**

1. (a) $\dfrac{7}{10} = \dfrac{\boxed{14}}{20}$ (b) $\dfrac{2}{5} = \dfrac{\boxed{16}}{40}$ (c) $\dfrac{5}{8} = \dfrac{\boxed{15}}{24}$ (d) $\dfrac{1}{7} = \dfrac{\boxed{5}}{35}$ (e) $\dfrac{8}{9} = \dfrac{24}{\boxed{27}}$ (f) $\dfrac{3}{8} = \dfrac{27}{\boxed{72}}$

   (g) $\dfrac{5}{6} = \dfrac{\boxed{40}}{48}$ (h) $\dfrac{2}{11} = \dfrac{8}{\boxed{44}}$ (i) $\dfrac{7}{20} = \dfrac{21}{\boxed{60}}$ (j) $\dfrac{9}{100} = \dfrac{36}{\boxed{400}}$ (k) $\dfrac{16}{25} = \dfrac{\boxed{48}}{75}$ (l) $\dfrac{7}{15} = \dfrac{\boxed{35}}{75}$

2. $\dfrac{10}{15}, \dfrac{18}{27}, \dfrac{30}{45}, \dfrac{24}{36}$ **3.** (a) $\dfrac{7}{12} = \dfrac{\boxed{14}}{24} = \dfrac{21}{\boxed{36}}$ (b) $\dfrac{7}{9} = \dfrac{\boxed{42}}{54} = \dfrac{49}{\boxed{63}}$ (c) $\dfrac{\boxed{1}}{3} = \dfrac{6}{18} = \dfrac{\boxed{5}}{15}$ (d) $\dfrac{3}{24} = \dfrac{\boxed{4}}{32} = \dfrac{\boxed{1}}{8}$

4. I HAVE FINISHED MY HOMEWORK

Page 37 **HWK 1E**

1. $2\dfrac{3}{4}$ **2.** $3\dfrac{1}{3}$ **3.** $2\dfrac{1}{3}$ **4.** $1\dfrac{1}{4}$ **5.** $1\dfrac{7}{8}$ **6.** 5
7. $2\dfrac{2}{7}$ **8.** $2\dfrac{3}{5}$ **9.** $4\dfrac{7}{10}$ **10.** $\dfrac{7}{4}$ **11.** $\dfrac{11}{2}$ **12.** $\dfrac{23}{6}$
13. $\dfrac{35}{8}$ **14.** $\dfrac{23}{10}$ **15.** $\dfrac{17}{5}$ **16.** $\dfrac{25}{4}$ **17.** $\dfrac{21}{8}$ **18.** $\dfrac{38}{7}$
19. $\dfrac{87}{10}$ **20.** 65   **21.** 23   **22.** $2\dfrac{9}{12}$

Page 38 **HWK 2M**

1. 80   **2.** $\frac{6}{7}$ of 42   **3.** 39   **4.** (a) 200 kg   (b) 60 cm   (c) £105

  (d) £66   (e) 49 litres   (f) 1170 kg   (g) 64 g   (h) £84   (i) £117

5. £6   **6.** (a) 2   (b) 5   (c) 5   (d) 48   (e) 7

  (f) 54   **7.** 88 cm   **8.** (a) 24   (b) 15   (c) 63   (d) 35

  (e) 36   (f) 63   (g) 88   (h) 40   **9.** 10 litres   **10.** 25

Page 39 **HWK 2E**

1. $\frac{63}{70} - \frac{30}{70} = \frac{33}{70}$ **2.** $\frac{11}{15}$ **3.** $\frac{11}{28}$ **4.** $\frac{5}{12}$ **5.** $\frac{13}{30}$ **6.** $\frac{41}{63}$

7. $\frac{8}{99}$ **8.** $\frac{3}{40}$ **9.** $\frac{28}{60} = \frac{7}{15}$ **10.** $\frac{43}{180}$ **11.** $\frac{77}{80}$ **12.** $\frac{5}{20} = \frac{1}{4}$

13. $\frac{23}{70}$ **14.** $\frac{11}{30}$ **15.** $\frac{9}{40}$ **16.** (a) $5\frac{1}{20}$ (b) $4\frac{1}{6}$ (c) $6\frac{1}{3}$

  (d) $1\frac{9}{20}$ **17.** $\frac{11}{12}$ litre   **18.** $1\frac{7}{12}$ km   **19.** 90   **20.** 48 litres

2.3 Fractions, decimals, percentages

Page 40 **HWK 1M**

1. 0.19   **2.** 0.8   **3.** 0.25   **4.** 0.65   **5.** 0.75   **6.** 0.5

7. 0.64   **8.** 0.9   **9.** 0.75   **10.** 0.55   **11.** (a) 0.33333 (b) 0.033333

12. 0.0066666

Page 40 **HWK 1E**

1. 0.037   **2.** 0.086   **3.** 0.145   **4.** 0.024   **5.** 0.25   **6.** 0.468

7. 0.03   **8.** 0.75   **9.** 0.0574   **10.** 0.224   **11.** 0.13   **12.** $\frac{24}{30}$

13. $\frac{14}{200}, \frac{18}{250},$ 0.78, 0.8   **14.** 0.24, $\frac{13}{52}, \frac{33}{125},$ 0.304

Page 41 **HWK 2M/2E**

1. (a) $\frac{3}{5}$ (b) $\frac{2}{25}$ (c) $\frac{7}{25}$ (d) $\frac{9}{20}$ (e) $\frac{17}{50}$ (f) $\frac{13}{20}$

  (g) $\frac{1}{4}$ (h) $\frac{7}{50}$ (i) $\frac{1}{5}$ (j) $\frac{19}{25}$ (k) $5\frac{2}{5}$ (l) $3\frac{6}{25}$

  (m) $5\frac{17}{20}$ (n) $8\frac{3}{4}$ (o) $2\frac{4}{25}$ **2.** $\frac{14}{25}$ **3.** A – J, B – I, C – F, D – G, E – H

Page 42 **HWK 3M**

1. (a) $\frac{9}{10}$ (b) $\frac{23}{50}$ (c) $\frac{13}{100}$ (d) $\frac{3}{50}$ (e) $\frac{9}{20}$ **2.** (a) 35%

  (b) $\frac{34}{100} = 34\%$ (c) $\frac{60}{100} = 60\%$ (d) $\frac{48}{100} = 48\%$ **3.** Gary   **4.** 45%   **5.** $\frac{3}{10}, \frac{1}{3}, \frac{9}{25}, \frac{2}{5}, \frac{9}{20}, \frac{23}{50}, \frac{1}{2}$

Page 43   **HWK 3E**

1. (a) 0.39   (b) 0.38   (c) 0.2   (d) 0.29   (e) 1.4   (f) 3.75

2. (a) $\frac{61}{100} = 61\%$ (b) $\frac{60}{100} = 60\%$ (c) $\frac{9}{100} = 9\%$ (d) $\frac{16}{100} = 16\%$

3. Lee   **4.** $\frac{1}{6}$ **5.** $\frac{7}{50}$ **6.**

$\frac{13}{25}$	$\frac{3}{20}$	$\frac{19}{100}$	$\frac{6}{25}$	$\frac{13}{50}$	$\frac{13}{20}$	$\frac{9}{50}$	$\frac{23}{25}$
0.52	0.15	0.19	0.24	0.26	0.65	0.18	0.92
52%	15%	19%	24%	26%	65%	18%	92%

2.4 Angles

Page 43   **HWK 1M**

1. (a) 77°   (b) 64°   **2.** (a) 42°   (b) 53°   (c) 93°   (d) 112°
3. (a) 58°   (b) 122°   **4.** (a) RQ̂S   (b) QŜT   (c) QŜR   (d) QR̂S
(e) SQ̂T   (f) PQ̂T

Page 44   **HWK 1E**

1. a = RQ̂T, b = QT̂R, c = RŜT, d = QP̂T, e = QR̂T, f = RT̂S, g = PQ̂T
2. p = AB̂C, q = AF̂G, r = DÂE, s = AD̂E, t = AĈB, u = AĜF
3. (a) 32°   (b) 30°   (c) 65°   (d) 97°   (e) 105°   (f) 86°
(g) 87°   (h) 62°   (i) 132°   (j) 100°   (k) 127°   (l) 112°

Page 44   **HWK 2M/2E**

13. (a) 56°   (b) 42°   (c) 26°   (d) 50°   (e) 108°   (f) 74.5°
(g) 72°   (h) 30°   (i) 64°   (j) 105°   (k) 100°   (l) 44°

Page 45   **HWK 3M/3E**

1. $a = 25°$ **2.** $b = 117°$ **3.** $c = 36°$ **4.** $d = 49°$ **5.** $e = 56°$ **6.** $f = 116°, g = 64°$
7. $h = 71°$ **8.** $i = 38°$ **9.** $a = 35°$ **10.** $b = 67°$ **11.** $c = 48°$ **12.** $d = 95°$
13. $e = 100°$ **14.** $f = 20°, 2f = 40°, 6f = 120°$ **15.** $g = 19°, 2g = 38°, 3g = 57°$
16. $2h = 46°, 3h = 69°, 4h = 92°$

Page 47   **HWK 4M**

1. $a = 70°, b = 44°$ **2.** $c = 41°, d = 82°$ **3.** $e = 63°, f = 117°$ **4.** $g = 74°, h = 77°, i = 103°$
5. $j = 37°$ **6.** $k = 68°, l = 44°$ **7.** $m = 60°, n = 120°$ **8.** $p = 54°, q = 72°, r = 72°$
9. 7°   **10.** 51°

Page 47 **HWK 4E**

1. $a = 56°$ **2.** $b = 122°$ **3.** $c = 116°$ **4.** $d = 20°, 4d = 80°$ **5.** $e = 29°$

6. $f = 35°, f + 110° = 145°, g = 110°$ **7.** $h = 24°$ **8.** $i = 19°, 2i = 38°, i + 38° = 57°, j = 66°$

9. $59°$ **10.** $4°$

Page 48 **HWK 5M**

1. $a = 115°, b = 115°, c = 65°,$ **2.** $d = 64°, e = 116°, f = 116°$ **3.** $g = 53°, h = 127°, i = 75°$

4. $j = 65°, k = 85°$ **5.** $l = 83°$ **6.** $m = 54°, n = 85°$ **7.** $p = 140°$ **8.** $q = 52°$ **9.** $47°$ **10.** $67°$

Page 49 **HWK 5E**

1. $a = 147°$ **2.** $b = 98°$ **3.** $c = 52°$ **4.** $d = 60°, 2d = 120°, e = 45°, 3e = 135°$

5. $f = 57°$ **6.** $g = 36°, 3g = 108°, h = 76°, i = 100°$ **7.** $j = 106°$ **8.** $k = 28°$

9. $l = 116°$ **10.** $124°$ **11.** $150°$

2.5 Rules of Algebra

Page 50 **HWK 1M**

1. $2m + 6$ **2.** $5p - 3$ **3.** $9w + 15$ **4.** $\dfrac{B}{4}$ **5.** $7A - 2$ **6.** $\dfrac{Y}{10} + 3$

7. $m + n + p + 3$ **8.** $n + 16$ **9.** $b + c$ **10.** $38 - x$ **11.** $m - n$

12. (a) $4y + 2w$ (b) $3m + 2n + 8$

Page 51 **HWK 1E**

1. $2m + p$ **2.** $2a + 7 + b$ **3.** $4w - y + 7p$ **4.** $3f + 2g + 6h - 9$ **5.** $4a - 8b - 3c$

6. $2w$ **7.** $89 + x - m$ **8.** $y - 5$ **9.** $3n + 6$ **10.** (a) $85x + 65y$

  (b) $85m + 195$ (c) $170n + 65w$ **11.** $4w - 5$ **12.** $2n - w$ **13.** $6(x + 8)$ or $6x + 48$

Page 52 **HWK 2M**

1. $8b$ **2.** $4x$ **3.** $9a - 4b$ **4.** $6m$ **5.** $10a$ **6.** $4h$

7. y **8.** $4x + 7$ **9.** $8m + 1$ **10.** $17x$ **11.** $9p - 5$ **12.** $14y$

13. $5b$ **14.** $34m$ **15.** $18a$ **16.** $19a - 3$ **17.** $9n$ **18.** $25n + 14$

19. $5y + 2$ **20.** $28q$

Page 52 **HWK 2E**

1. $8m + 9n$ **2.** $8p + 16q$ **3.** $4a + 9b$ **4.** $2x + 3y$ **5.** $22f + 7g$ **6.** $8m + 3$

7. $7b + 2c$ **8.** $7m + 1$ **9.** $27 + y$ **10.** $7x + 5y$ **11.** $2a + 30$ **12.** $4 + 7n$

13. $9w + 15$ **14.** $2p + 19$ **15.** $25 + 12m$ **16.** $6a + 2b + 9$ **17.** $n + 4p + 3$ **18.** $6x + 5y + 6$

19. $3a, 5b, \boxed{3a + 5b}, 7b, \boxed{3a + 12b}, 2a, \boxed{a + 12b}, 9a, \boxed{10a + 12b}$

20. $7m, 9, \boxed{7m + 9}, 16, \boxed{7m + 25}, 5m, \boxed{12m + 25}, 10m, \boxed{2m + 25}, 25, \boxed{2m}$

21. $3x, 6y, \boxed{3x + 6y}, 2x, \boxed{x + 6y}, 8x, \boxed{9x + 6y}, 4y, \boxed{9x + 2y}, 9x, \boxed{2y}$

22. $3m - 4n$ **23.** $-12x - 5y$

Page 53 HWK 3M

1. $3 \times n$, $n + n + n$, $4n - n$, $2n + n$, $n \times 3$ 2. (a) $4n + n = 5 \times n$, $n + n = 7n - 5n$

3. (a) $3a + 3b - a$, $2a + 2b + b$, $6a + b - 4a + 2b$, $a + 4b - b + a$ (b) should all be equal to 22

4. true   5. true   6. true   7. true   8. false   9. false

10. true   11. false   12. false   13. true   14. false   15. false

16. false   17. true   18. false

Page 54 HWK 3E

1. $18mn$ 2. $36pq$ 3. $25wy$ 4. $8ab$ 5. $42mnp$ 6. $40pq$

7. $90mn$ 8. $45ac$ 9. $16n^2$ 10. (a) $3ab$ (b) $8xy + 2pq$ (c) $w + 3p + pw$

(d) $2mn + 2n + 2$ (e) $6a + ab$ (f) $2y + 5xy$ (g) $6c + 3 + 3cd$ (h) $7ab + 6a + 3$

11. $50ab + 6a^2$ 12. $mn + pq$ 13. $ab + 6b$ 14. $72mn - 4n^2$

Page 55 HWK 4M

1. $p = 24$ 2. $p = 20$ 3. (a) $A = 36$ (b) $A = 92$ (c) $A = 228$ 4. $p = 142$

5. $p = 76$ 6. (a) $A = 53$ (b) $A = 182$ (c) $A = 1.55$

Page 55 HWK 4E

1. $m = 21$ 2. $b = 11$ 3. $a = 7$ 4. $w = 13$ 5. $f = 7$ 6. $y = 45$

7. $a = 36$ 8. $k = 21$ 9. $p = 63$ 10. $y = 165$ 11. $m = 96$ 12. $a = 144$

13. $d = 1$ 14. $v = 104$ 15. $y = 33$ 16. $m = 372$ 17. $c = 3$ 18. $y = 1440$

19. $m = 15$ 20. $a = 5$

Page 56 HWK 5M

1. 9   2. 45   3. 8   4. 30   5. 12   6. 9

7. 45   8. 10   9. 9

Page 57 HWK 5E

1. ⌒ $= 9$, ▽ $= 9$ 2. ⌒ $= 7$, ☆ $= 14$ 3. ▽ $= 6$, ⌒ $= 12$ 4. ▽ $= 5$, ☆ $= 5$

5. ☆ $= 3$, ⌒ $= 6$ 6. ⌒ $= 0$, ☆ $= 16$ 7. ☆ $= 7$, ▽ $= 7$ 8. ☆ $= 6$, ▽ $= 12$

9. ☆ $= 10$, ⌒ $= 20$ 10. ⌒ $= 45$, ▽ $= 15$

UNIT 3

3.1 Coordinates

Page 58 **HWK 1M/1E**

1. What do you call a man with a spade in his head? Doug
2. What do you call a dead parrot? Polygon
3. With what do you stuff a dead parrot? Polyfilla

Page 59 **HWK 2M**

1. dog   **2.** boat   **3.** (d) 27

Page 60 **HWK 2E**

1. (a) (9, 1)   (b) (5, 7)   (c) (4, 8)
2. (4, 5)   **4.** (c) (0, 9)   (f) 3

3.2 Long multiplication and division 2

Page 61 **HWK 1M/1E**

1. (a) 1702   (b) 4761   (c) 11900   (d) 15996
2. (a) 26   (b) 18 r. 25   (c) 21 r. 15   (d) 16 r. 25
3. 962   **4.** 13   **5.** £1666
6. (a) 54   (b) 28   (c) 1776   (d) 63
7. 1215   **8.** They take the same money

3.3 Decimals 2

Page 61 **HWK 1M**

1. 2.2   **2.** 7.44   **3.** 7.18   **4.** 4.7   **5.** 3.12   **6.** 0.027
7. 3.24   **8.** 0.72   **9.** 1160   **10.** 13.18   **11.** 4.84   **12.** 0.72
13. 25.42   **14.** 80   **15.** 0.0016   **16.** 0.263   **17.** 1.75 m   **18.** (a) 10.13
        (b) 8.18   (c) 22.14   (d) 3.28   (e) 29.56   (f) 1.73   (g) 6.6
        (h) 0.982 (i) 21.5

Page 62 **HWK 1E**

1. £11.04   **2.** 6.4 kg   **3.** 2.14 litres
4. (a) 3.4, ×5, 17, ÷100, 0.17, ×6, 1.02   (b) 2.8, ×4, 11.2, −0.03, 11.17, ×0.2, 2.234
        (c) 0.15, ×30, 4.5, +1.22, 5.72, ÷4, 1.43   **5.** 12.96 m²   **6.** £16.70   **7.** 11
8. (a) 7   (b) 0.8   **9.** 1.43 l   **10.** £5.60

Page 63 **HWK 2M**

[1]0 . 7	[2]6		[3]3 .	[4]7	
6		[5]7	[6]1	9	4
3		[7]8	2		7
	[8]5		[9]6 .	[10]3	2
[11]7 . 9		[12]8	6		
[13]1	6 . 5		[14]6	8	

Page 63 **HWK 2E**

1.

0.15	×	7	→	1.05
×		−		
100	×	3.8	→	380
↓		↓		
15	+	3.2	→	18.2

2.

4.7	÷	10	→	0.47
−		×		
0.84	+	0.08	→	0.92
↓		↓		
3.86	−	0.8	→	3.06

3.

12.6	÷	100	→	0.126
÷		×		
5	×	1.9	→	9.5
↓		↓		
2.52	+	190	→	192.52

4.

8.16	×	100	→	816
×		÷		
20	×	25	→	500
↓		↓		
163.2	÷	4	→	40.8

5.

9.4	×	8	→	75.2
+		−		
2.96	+	4.27	→	7.23
↓		↓		
12.36	−	3.73	→	8.63

6.

0.2	×	0.16	→	0.032
÷		÷		÷
2	×	2	→	4
↓		↓		↓
0.1	×	0.08	→	0.008

3.4 Properties of numbers

Page 64 **HWK 1M/1E**

1. 7, 13, 19   **2.** 7, 11   **3.** eg. $7 - 5 = 2$, $5 - 3 = 2$, $13 - 11 = 2$ **4.** 31, 37   **5.** yes

6. 2   **7.** (a) 101, 103, 107, 109   **8.** 509   **9.** $2 + 3 + 5 + 7 = 17$

Page 65 **HWK 2M**

1. (a) 1, 2, 4, 8   (b) 1, 2, 11, 22   (c) 1, 2, 3, 5, 6, 10, 15, 30   **2.** 6   **3.** 25

4. (a) 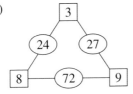   (b) 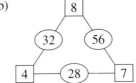   (c)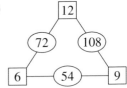

5. 4   **6.** 2   **7.** 4

Page 65 **HWK 2E**

1. (b) $40 = 2 \times 2 \times 2 \times 5$ **2.** (b) $48 = 2 \times 2 \times 2 \times 2 \times 3$ **3.** (c) $2 \times 2 \times 2 \times 3 \times 5$

  (b) $2 \times 2 \times 3 \times 5 \times 5$ (c) $2 \times 5 \times 5 \times 7$ (d) 5×73 (e) $5 \times 7 \times 7 \times 13$

4. 2   **5.** 27720

Page 66 **HWK 3M**

1. 18, 36, 54, 72, 90   **2.** 70, 80   **3.** 28, 63, 84   **4.** eg. 20, 40, 60   **5.** eg. 24, 48

6. (a) 93   (b) 42,63   **7.** 24

Page 67 **HWK 3E**

1. 6   **2.** (a) 1, 2, 4, 5, 10, 20   (b) 1, 2, 3, 5, 6, 10, 15, 30   (c) 10

3. (a) 12   (b) 19   (c) 5   **4.** 36   **5.** (a) 6, 12, 18, 24, 30, 36

  (b) 8, 16, 24, 32, 40, 48   (c) 24   **6.** (a) 36   (b) 60   (c) 385

7. 4 and 5   **8.** 14   **9.** 57   **10.** 273

Page 67 **HWK 4M/4E**

1. 81   **2.** 121   **3.** 34   **4.** 64   **5.** 208   **6.** 300

7. 290   **8.** 2601   **9.** 78   **10.** 256   **11.** true

12. (a) $100 - 49$ (b) $64 - 9$ (c) $81 - 4$ (d) $121 - 25$

13. (a) 46   (b) 28   (c) 32   (d) 83   **14.** 36, 81, 400

15. (a) $5 \times 5 = 4 \times 4 + 9$, $6 \times 6 = 5 \times 5 + 11$, $7 \times 7 = 6 \times 6 + 13$, $8 \times 8 = 7 \times 7 + 15$,

  $9 \times 9 = 8 \times 8 + 17$, $10 \times 10 = 9 \times 9 + 19$ (b) $14 \times 14 + 29$ (c) $19 \times 19 + 39$

16. (a) 3   (b) 15   (c) 5   **17.** 17

3.5 Straight line graphs

Page 69 **HWK 1M**

1. C: $x = 2$, D: $x = 7$, E: $y = -2$, F: $y = 5$, G: $x = -3$　　**2.** (5, 1)
3. (a) V, Q, T　　　(b) $x = 6$　　　(c) P, V, U　　　(d) S　　　(e) Q, R, U　　　(f) P, S

Page 70 **HWK 1E**

1. (a) (0, 3), (1, 4), (2, 5), (3, 6), (4, 7), (5, 8)　　$y = x + 3$
　　(b) (0, 5), (1, 4), (2, 3), (3, 2), (4, 1), (5, 0)　　$x + y = 5$
2. $y = 2x$　　　**3.** $y = x - 6$　　　**4.** (a) $y = 3x + 1$　　　(b) $x + y = 8$　　　(c) $x = 5$　　　(d) $y = \frac{1}{2}x + 3$
　　(e) $y = 2x - 20$

Page 71 **HWK 2M**

1. (a) 3　　　(b) 5　　　(c) 6　　　**2.** (a) 18　　　(b) 42　　　(c) 72
3. $y = 4x$　　　**4.** B, C　　　**5.** R, T lie on $y = 3x + 2$,　P, Q, S　lie on $y = 2x - 1$
6. P:$y = 2x + 2$, Q:$y = x - 2$, R:$y = 7 - x$　　　**7.** eg. (0, 1), (1, 5), (2, 9), (3, 13)

Page 71 **HWK 2E**

1. (2, –1) (3, 0) (4, 1)　　　**2.** (0, 5) (1, 4) (2, 3) (3, 2)　　　**3.** (2, 3), (3, 5), (4, 7), (5, 9)
4. (0, 4), (1, 2), (2, 0), (3, –2)　　　**5.** (c) (1, 3)

3.6 Handling data

Page 72 **HWK 1M/1E**

1. (a) 2, 3, 5, 7, 6, 4, 4, 1

Page 73 **HWK 2M/2E**

1. (a) 6　　　(b) 9　　　(c) 25　　　(d) 10　　　**2.** (a) 7, 4, 6, 4, 3　　　(c) 10
3. (a) 11　　　(b) May and October　　　(c) November–heavy rain　　　(d) 12　　　**4.** (a) 20°C　　　(b) 12°C
　　(c) 18°C　　(d) 12:00 and 18:00　　　(e) 09:00　　　　　　(f) 09:30 and 19:00　　　(g) 16:00

Page 74 **HWK 3M**

1. (a) about 40　　　(b) about 100　　　**2.** (a) Anna not correct　　　(b) Harry is correct
3. (a) Marie is correct　　　(b) more men.

Page 76 **HWK 3E**

1. (a) 15　　　(b) 45　　　(c) 135　　　(d) 36°　　　(e) 30
2. Ronaldo 150°, Fabregas 80°, Drogba 30°, Torres 100°
3. None 108°, $\frac{1}{2}$ hour 117°, 1 hour 54°, $1\frac{1}{2}$ hours 27°, 2 hours 36°, $2\frac{1}{2}$ hours 18°
4. 'Courad' 57°, 'Harry Potter 9' 75°, 'Major Joe' 36°, 'High Terror' 132°, 'Horatio' 60°

3.7 Probability 1

Page 77 HWK 1M/1E

1. $\boxed{A}$, $\boxed{B}$, $\boxed{D}$ are correctly placed and $\boxed{F}$ is correctly placed assuming the scriptwriters are on Doctor Who's side!

Page 78 HWK 3M/3E

1. (a) $\frac{1}{6}$ (b) $\frac{3}{8}$ (c) $\frac{2}{5}$ (d) $\frac{7}{10}$ 2. (a) $\frac{1}{7}$ (b) $\frac{4}{7}$ (c) $\frac{2}{7}$

3. $\frac{1}{8}$ 4. (a) $\frac{3}{10}$ (b) $\frac{1}{2}$ (c) $\frac{1}{5}$ 5. (a) $\frac{1}{6}$ (b) $\frac{1}{6}$ (c) $\frac{1}{2}$

6. (a) $\frac{3}{20}$ (b) $\frac{1}{2}$ (c) $\frac{1}{4}$ (d) $\frac{1}{10}$ (e) $\frac{13}{20}$ (f) 0

7. (a) $\frac{12}{25}$ (b) $\frac{8}{25}$ (c) $\frac{17}{25}$ (d) 1   8. (a) $\frac{1}{8}$ (b) $\frac{1}{2}$ (c) $\frac{1}{4}$

(d) $\frac{1}{2}$ (e) $\frac{5}{8}$ (f) $\frac{1}{4}$ 9. (a) $\frac{1}{6}$ (b) $\frac{7}{12}$ (c) $\frac{5}{12}$

Page 80 HWK 1M/2M/3M/4M/5M/6M

1. 355   2. 90 cm²   3. £1.14   4. 620014   5. 12, 36, 4   6. 20°

7. £10.50   8. 18   9. 945 g   10. $8 + 4 \times 3 - 10 \div 5 = 18$ 11. 28 days

12. £37500

UNIT 4

4.1 Constructing triangles

Page 81 HWK 1M/1E

4. about 11 cm   **5.** (a) 6.2 cm   (b) 4 cm   (c) 8.4 cm   **6.** 115°
7. AB = 3.5 cm, AD = 5.9 cm

Page 82 HWK 2M/2E

1. (a) 52°   (b) 85°   (c) 32°   **2.** 63°   **3.** (a) 66°   (b) 170°   **4.** 85°

4.2 Two dimensional shapes

Page 83 HWK 1M

1. D   **2.** Scalene   **3.** A   **4.**    **5.** C, F   **7.** square, rectangle

8. ![pentagon with tick marks]   **9.** 4

Page 84 HWK 1E

1. ![parallelogram with dashed lines]   **2.** 2   **3.** kite, trapezium (isosceles only)   **4.** 1   **5.** 0

6. 4   **7.** 8   **8.** ![kite shape]   **9.** ![trapezium shape]   **10.** kite

4.3 Percentages 85

Page HWK 1M/1E

1. (a) 0.49   (b) 0.4   (c) 0.08   (d) 0.13   (e) 0.85   **2.** 45%
3. (a) 24%   (b) 60%   (c) 59%   (d) 64%   (e) 6%   **4.** 25%
5. 9%   **6.** $\frac{13}{20}$ **7.** (a) $\frac{1}{4}, \frac{3}{10}, 0.4$ (b) 38%, 0.39, $\frac{2}{5}$ (c) 69%, 0.7, $\frac{18}{25}$
8. $\frac{4}{25} = 0.16$, 95% $= \frac{19}{20}$, 0.75 $= \frac{3}{4}$, 20% $= \frac{1}{5}$, 0.3 = 30%
9. (a) $\frac{37}{100}$ (b) $\frac{13}{20}$ (c) $\frac{7}{50}$ (d) $\frac{8}{25}$ (e) $\frac{11}{50}$
10. (a) False   (b) True   (c) False   (d) True   (e) True   (f) True

Page 86 HWK 2M

1. 60%   **2.** 30%   **3.** $\frac{1}{3}$ **4.** 15%   **5.** yes   **6.** 62%
7. 35%   **8.** $\frac{12}{16}$ **9.** 44

Page 87 **HWK 2E**

1. 18%   **2.** 91%   **3.** 44%   **4.** (a) 9%   (b) 18%   (c) 13%   (d) 50%

5. 42%   **6.** (a) 22%   (b) 7%

Page 88 **HWK 3M**

1. (a) £40   (b) 3 kg   (c) £112   **2.** 108   **3.** B(£60), C(£64), A(£70)

4. 84 mm   **5.** 66.5 kg   **6.** shirt, trousers   **7.** Diane by £12

8. (a) £525   (b) £98   (c) £7.70   **9.** £1668.50

Page 88 **HWK 3E**

1. (a) 4.7   (b) 112.8   **2.** £0.70 or 70 pence   **3.** (a) £7208   (b) £515.20

(c) £627.80   (d) £443.30   **4.** 100.8 cm   **5.** (a) A   (b) B

(c) £2.38   **6.** (a) £2.02   (b) £420.82   (c) £174.28   (d) £56.12

7. 1.59 m   **8.** £76.72 (accept £76.71)   **9.** 37 ml

4.4 Proportion and ratio

Page 89 **HWK 1M/1E**

1. £11.70   ✗ **2.** £4.16   **3.** $\frac{4}{15}$ **4.** 4 toilet rolls for £1.68   **5.** $\frac{3}{8}$

6. 30 minutes   **7.** £1.65   **8.** 324   **9.** (a) $\frac{5}{12}$ (b) $\frac{1}{4}$ **10.** 3150

11. $13\frac{1}{3}$ **12.** $\frac{8}{5}n$ **13.** $\frac{xw}{y}$ **14.** $153

Page 90 **HWK 2M**

1. 13:6   **2.** 6:4 = 3:2   **3.** 9 black squares   **4.** (a) 1:8   (b) 1:3   (c) 4:3

(d) 3:2   (e) 17:7   (f) 4:7   (g) 2:4:5   (h) 3:2:7   (i) 3:5:7

5. 11:7   **6.** (a) 3   (b) 2   (c) 8   (d) 9   (e) 3

(f) 4   **7.** 8:12 = 2:3   **8.** 8:4 = 2:1

Page 91 **HWK 2E**

1. (a) £40:£20   (b) £42:£18   (c) £24:£36   **2.** £105:£30   **3.** 20   **4.** 35

5. 84   **6.** £30   **7.** blue 18, red 3, yellow 15   **8.** $\frac{2}{7}$

9. Dan 175, Josh 225, Elaine 375   **10.** £80

4.5 Negative Numbers

Page 92 **HWK 1M**

1. (a) −4   (b) −1   (c) −3   (d) −2   (e) −5   (f) −3   (g) −7

(h) −2   **2.** 5 − 9, −6 + 2, −7 + 3, −2 −2   **3.** (a) −3   (b) −3   (c) −4

(d) −5   (e) −2   (f) −4   **4.** 4   **5.** (a) 10   (b) 2   (c) 12

(d) −5   (e) −6   (f) −1   (g) −2   (h) −9   **6.** (a) false   (b) false

(c) true   (d) true   (e) false   (f) true

7.

+	−4	2	−6	−3	1
−2	−6	0	−8	−5	−1
−3	−7	−1	−9	−6	−2
9	5	11	3	6	10
5	1	7	−1	2	6
−7	−11	−5	−13	−10	−6

8. −10

Page 93   **HWK 1E**

1. (a) −28   (b) −6   (c) −18   (d) −8   (e) 9   (f) −42

    (g) −4   (h) 5   **2.** (a) −4   (b) −5   (c) −5   (d) −36

    (e) −40   (f) 5   (g) −24   (h) −24

3. 6, −3, −18, 2, −9, −3, 3, −7, −21   **4.** (a) 25   (b) −48   (c) 24

    (d) 16   (e) −84   (f) −27   **5.** −2, −3, 6, −5, −30, −2, 15, −3, −5

6.

×	−4	−3	7	−2	−5
−7	28	21	−49	14	35
−8	32	24	−56	16	40
5	−20	−15	35	−10	−25
−6	24	18	−42	12	30
9	−36	−27	63	−18	−45

4.6 More algebra

Page 93   **HWK 1M**

1. (a) $2x$ (b) $2y$ (c) $3y + 2$ (d) $4x + 2$ (e) $12p + q$ (f) $8w + 6 + 3m$

2. $v = 46$ **3.** $5n$ **4.** $36 − x + y$ **5.** $a = 65$ **6.** $m = 78$ **7.** (a) 1

    (b) $9y$ (c) 8   (d) $5x + 4$ **8.** $2(m − 9)$ **9.** (a) $12mn$ (b) $2mn$

    (c) $4mn + 3m$ (d) $18mn$ **10.** $w = 2$

Page 94   **HWK 1E**

1. (a) $18pqr$ (b) $6xy + 2x$ (c) $9mn + 6m + 3$ (d) $192xyz$ (e) $pq + 7$ (f) $8a + 4ab$

2. $33abc$ **3.** $y = 32$ **4.** $m = 9$ **5.** $a = −36$ **6.** $y = −16$

7. $p = −31$ **8.** $c = −36$ **9.** $m = −6$ **10.** $a = 16$ **11.** $y = −66$

12. $m = −11$ **13.** $p = 54$ **14.** $a = −57$

Page 95   **HWK 2M**

1. 6   **2.** 14   **3.** 13   **4.** 9   **5.** 8   **6.** 7

7. 3   **8.** 3   **9.** 6   **10.** 5   **11.** 7   **12.** 4

Page 95   *HWK 3M*

1. 11	**2.** 22	**3.** 4	**4.** 22	**5.** 6	**6.** 8
7. 0	**8.** 36	**9.** 42	**10.** 40	**11.** 48	**12.** 36
13. 7	**14.** 12	**15.** 48	**16.** 26	**17.** 12	**18.** 3
19. 49	**20.** 45	**21.** $\frac{1}{6}$	**22.** 220	**23.** 431	**24.** 750

Page 96   *HWK 3E*

1. 45	**2.** $\frac{1}{8}$	**3.** 7	**4.** 10	**5.** 621	**6.** $\frac{5}{8}$
7. 0	**8.** 126	**9.** 0	**10.** 546	**11.** 4.43	**12.** $\frac{1}{12}$
13. 7.16	**14.** 40	**15.** 11.3	**16.** $1\frac{1}{12}$	**17.** 12.8	**18.** 0.15
19. $\frac{4}{5}$	**20.** 0.02	**21.** 8.22			

Page 96   *HWK 4M*

1. 3	**2.** 7	**3.** 1	**4.** 9	**5.** 4	**6.** 20
7. $\frac{3}{5}$	**8.** 2	**9.** $\frac{4}{7}$	**10.** 15	**11.** $\frac{1}{3}$	**12.** 25
13. $\frac{5}{7}$	**14.** 8	**15.** 7	**16.** $\frac{1}{3}$	**17.** 0	**18.** 100
19. $2\frac{2}{5}$	**20.** 30	**21.** 2	**22.** $\frac{4}{9}$	**23.** $1\frac{2}{3}$	**24.** 9

Page 97   *HWK 4E*

1. 7	**2.** 8	**3.** 3	**4.** 10	**5.** $\frac{5}{6}$	**6.** $\frac{17}{30}$
7. 17	**8.** 0	**9.** 7	**10.** $\frac{3}{14}$	**11.** 18	**12.** $1\frac{5}{6}$
13. 6	**14.** $5\frac{1}{2}$	**15.** 120	**16.** 250	**17.** $2\frac{2}{3}$	**18.** $6\frac{1}{10}$
19. 35	**20.** 8	**21.** 130	**22.** $\frac{3}{16}$	**23.** 195	**24.** $\frac{1}{2}$

Page 97   *HWK 5M*

1. 6	**2.** 6	**3.** 8	**4.** 9	**5.** 12	**6.** $\frac{3}{10}$
7. $\frac{7}{8}$	**8.** $\frac{19}{20}$	**9.** 13	**10.** $2\frac{4}{15}$		

Page 98   *HWK 5E*

1. £8	**2.** 9 cm	**3.** 7	**4.** 6 cm	**5.** 11
6. 20°	**7.** 5 cm	**8.** 7 cm	**9.** 17, 18, 19, 20, 21	**10.** 12 cm

Page 99   *HWK 6M*

1. $6m + 6n$	**2.** $6x - 12$	**3.** $15p + 25$	**4.** $32y - 40$	**5.** $12a + 18$
6. $2x - 2y$	**7.** $36 - 9q$	**8.** $6a + 15b$	**9.** $18m + 6$	**10.** $21c + 14d$
11. $40w - 35$	**12.** $8a + 4b + 20$	**13.** $18m - 81n$	**14.** $28p + 32q$	**15.** $24 + 9y - 21x$
16. $cd - 8c$	**17.** $xy + 3x$	**18.** $a^2 - 6a$	**19.** $3p + pw$	**20.** $9x - x^2$

21. $12n + 8$ **22.** $56a - 28$ **23.** $m^2 - 2m$ **24.** $15q - 45$ **25.** $9y + y^2$

26. $4b - bc$ **27.** $24w + 21$ **28.** $12 + 24m$ **29.** $x^2 - 4x$ **30.** $7a - a^2$

Page 99   ***HWK 6E***

1. $9x + 30$ **2.** $13x + 45$ **3.** $6x + 46$ **4.** $12x + 51$ **5.** $30x + 46$

6. $19x + 17$ **7.** $22x + 2$ **8.** $15x + 33$ **9.** $28x + 45$ **10.** $19x + 12$

11. $27x + 30$ **12.** $16x + 31$ **13.** $33x + 20$ **14.** $36x + 15$ **15.** $36x + 2$

16. $79x + 18$ **17.** $35x + 39$ **18.** $30x + 15$ **19.** B

UNIT 5

5.1 Rotation

Page 100   HWK 1M

1.

2.

3.

4.

5.

6.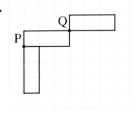

7. 90° anti–clockwise
8. 180° clockwise
9. 90° clockwise
10. 90° clockwise
11. 90° anti–clockwise
12. 90° clockwise

Page 101   HWK 1E

1.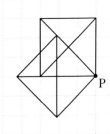

2.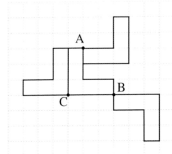

3.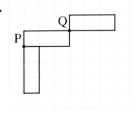

4. (a) P   (b) Q   (c) M   (d) P

5.

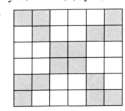

Page 102   HWK 2M/2E

1. (a) yes, 2   (b) yes, 6   (c) yes, 2   (d) none   (e) yes, 8   (f) none
   (g) yes, 5   (h) yes, 2

2. (a)   (b) 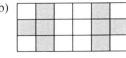   (c)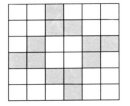

Page 102   **HWK 1M**

1. (a) S   (b) S   **2.** 8   **3.** (a)   (b)   (c)

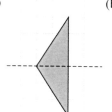 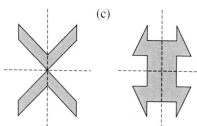

5. (a) yes, 2   (b) yes, order 2

Page 103   **HWK 1E**

1. (a) $x = 6$ (b) $x = 4$ (c) $x = 4, y = 6.5$
    (d) $x = 2, y = 2, y = x, x + y = 4$

2.   (b) $x = 11$ (e) $y = x + 2, x + y = 6$

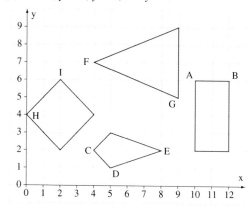

Page 104   **HWK 2M/2E**

1.   **2.**   **3.**

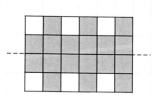

9 new squares

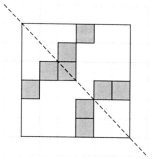

4 new squares

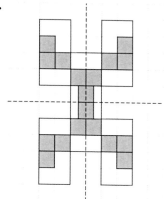

13 new squares

4.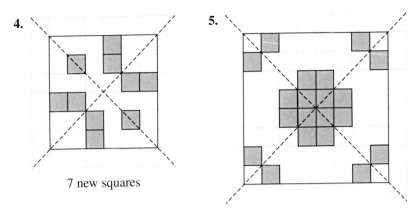

7 new squares

5.

17 new squares

6.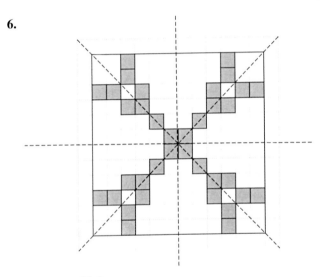

31.5 new squares

5.3 Translation

Page 105   HWK 1M/1E

1. (a) T   (b) T   (c) Q   (d) U

2. (a) 2 units right, 4 units down   (b) 3 units down

(c) 2 units left, 2 units down   (d) 4 units left, 5 units up

3.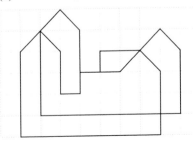

5.4 Number Review

Page 106   ***HWK 1M***

1. 1, 2, ☐3☐, 5, ☐6☐, ☐10☐, ☐15☐, 30   **2.** (a) 30   (b) 16   **3.** 11, 13, 17, 19
4. (a) 1, 2, 4, 5, 8, 10, 20, 40   (b) 1, 2, 5, 10, 25, 50   (c) 10   **5.** 53
6. eg, 28, 56, 84   **7.** 24   **8.** (a) 5   (b) 4   (c) 18
9. 4 has three factors, the others have two factors only.

Page 106   ***HWK 2M***

1. (a) 7%   (b) 32%   (c) 60%   (d) 16%   (e) 95%
2. (a) $\frac{3}{5}$ (b) $\frac{19}{100}$ (c) $\frac{7}{20}$ (d) $\frac{8}{25}$ (e) $\frac{1}{50}$ **3.** 0.303
4. (a) $\frac{2}{5}$ (b) $\frac{7}{10}$ (c) $\frac{1}{4}$ (d) $\frac{5}{6}$ (e) $\frac{3}{8}$ (f) $\frac{2}{5}$
5. (a) $\frac{3}{8}$ (b) $\frac{5}{6}$ (c) $\frac{3}{10}$ (d) $\frac{1}{2}$ (e) $\frac{3}{8}$ (f) $\frac{5}{12}$
   (g) $\frac{17}{24}$ (h) $\frac{17}{20}$ **6.** $\frac{2}{5}$, 0.42, 45%   (b) $\frac{1}{20}$, 10%, 0.2   (c) 0.68, $\frac{7}{10}$, 73%
7. yes by 3%   **8.** A $\frac{9}{20}$, B $\frac{13}{25}$, C $\frac{33}{50}$, D $\frac{19}{25}$

Page 107   ***HWK 3M***

1. 336   **2.** 24   **3.** 33   **4.** 3159   **5.** 5   **6.** £19
7. (a) 468   (b) 27   (c) 32   **8.** 55   **9.** ☐752 ÷ 47☐ by 3

Page 108   ***HWK 4M***

1. (a) 18.8   (b) 14.6   (c) 2.83   (d) 27.6   (e) 36.72   (f) 1.56
   (g) 7.77   (h) 3.72   (i) 4.3   (j) 8.6   (k) 4.3   (l) 18.96
2. 0.37 kg   **3.** (a) 3.65 + 3.73 = 7.38   (b) 2.96 + 5.38 = 8.34   (c) 8.07 − 2.64 = 5.43
4. £5.60   **5.** 60.2 g   **6.** 5, 19.11, 95.55, 7, 13.65   **7.** (a) 46.2   (b) 0.024
   (c) 0.023   (d) 0.0042   (e) 0.48   (f) 0.592   **8.** £1.87

Page 108   ***HWK 5M***

1. (a) £24   (b) 12 kg   (c) 12 cm   (d) 21 cm   (e) 21 g   (f) 72 km
   (g) £267   (h) 49 cm   **2.** $\frac{1}{3}$ of £21   **3.** (a) 20%   (b) 18   (c) 120
4. (a) £37.80 (b) 408 g   (c) £94.80   **5.** 6640   **6.** (a) 6%   (b) $66\frac{2}{3}$%
   (c) 75%   (d) 55%   **7.** $\frac{1}{3}$ of £1773   **8.** £1098   **9.** £18.27
10. 'Increase £326 by 17.5%', £15.25

5.5 Probability 2

Page 109   ***HWK 1M/1E***

1. (a) $\frac{3}{5}$ (b) $\frac{2}{5}$ **2.** $\frac{3}{12} = \frac{1}{4}$ **3.** (a) $\frac{3}{7}$ (b) $\frac{4}{7}$ (c) $\frac{1}{7}$

4. (a) $\dfrac{7}{18}$ (b) $\dfrac{3}{18} = \dfrac{1}{6}$ (c) 0   (d) $\dfrac{15}{18} = \dfrac{5}{6}$ (e) 1   **5.** (a) $\dfrac{2}{7}$ (b) $\dfrac{1}{7}$

(c) $\dfrac{2}{7}$ **6.** odd number   **7.** (a) $\dfrac{2}{10} = \dfrac{1}{5}$ (b) $\dfrac{3}{10}$ (c) $\dfrac{3}{10}$ (d) $\dfrac{6}{10} = \dfrac{3}{5}$ (e) $\dfrac{3}{11}$

Page 110   HWK 2M

1. $\dfrac{5}{6}$ **2.** (a) $\dfrac{7}{10}$ (b) pink   **3.** (a) $\dfrac{1}{52}$ (b) $\dfrac{4}{52} = \dfrac{1}{13}$ (c) $\dfrac{26}{52} = \dfrac{1}{2}$

(d) $\dfrac{13}{52} = \dfrac{1}{4}$ **4.** (a) $\dfrac{4}{11}$ (b) $\dfrac{2}{11}$ (c) $\dfrac{5}{11}$ (d) $\dfrac{2}{11}$ **5.** (a) $\dfrac{1}{26}$

(b) $\dfrac{5}{26}$ (c) $\dfrac{5}{26}$ (d) $\dfrac{6}{26} = \dfrac{3}{13}$ **6.** (a) $\dfrac{4}{16} = \dfrac{1}{4}$ (b) $\dfrac{2}{16} = \dfrac{1}{8}$ (c) $\dfrac{1}{16}$

Page 111   HWK 2E

1. $\dfrac{1}{4}$ **2.** (a) $\dfrac{1}{6}$ (b) $\dfrac{4}{6} = \dfrac{2}{3}$ (c) $\dfrac{2}{6} = \dfrac{1}{3}$ **3.** 4

4. (a) (H, H, H), (H, H, T), (H, T, H), (T, H, H), (H, T, T), (T, H, T), (T, T, H), (T, T, T)

(b) $\dfrac{1}{8}$ (c) $\dfrac{1}{8}$ **5.** (a) $\dfrac{n}{m + n + p}$ (b) $\dfrac{n + p}{m + n + p}$

6. (a) $\dfrac{14}{18} = \dfrac{7}{9}$ (b) $\dfrac{5}{21}$ **7.** $\dfrac{x + 1}{x + y - 1}$

5.6 Interpreting graphs

Page 112   HWK 1M/1E

1. (a) (i) 30   (ii) 30   (iii) 5   (b) 09.00   (c) 10.00 and 18.00

(d) 30 minutes   **2.** (a) (i) 4 inches   (ii) 8 inches   (iii) 2 inches   (b) 7 inches

3. (a) 10 cm   (b) 35 cm   (c) after 3 minutes   (d) 1 minute 15 secs

(e) let some water out by removing the plug   (f) 45 seconds

Page 114   HWK 2M

1. (a) 2.7 litres   (b) 1.4 gallons   **2.** (b) $3\dfrac{1}{2}$ minutes   (c) 67.5 kcals

Page 114   HWK 2E

1. (a) 40 miles (b) 45 minutes (c) 25 miles   (d) 50 mph   (e) 45 minutes

2. (a) 30 minutes   (b) 3.45 p.m.   (c) 3   (d) 15 km/h

3.   (b) 11.45   (c) 12 mph

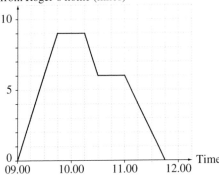

4. Distance from home (miles)

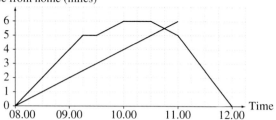

(b) 10.45   (c) 12.00

5.7 Rounding numbers

Page 116   **HWK 1M**

1. (a) 1800   (b) 280   (c) 92 000   (d) 3 17 000   (e) 2600   (f) 18
2. (a) true   (b) true   (c) false   (d) true   **3.** (a) 260   (b) 1730
  (c) 70   (d) 460   (e) 70   (f) 2770   **3.** 23 712, 23 673, 23 689
4. (a) 35   (b) 8   (c) 61   (d) 3   (e) 86   (f) 25
  (g) 16   (h) 5

Page 116   **HWK 1E**

1. (a) 3.8   (b) 7.9   (c) 23.5   (d) 3.7   (e) 8.6   (f) 8.0
  (g) 38.7   (h) 24.3   (i) 4.3   (j) 2.6   **2.** (a) 5.68   (b) 24.72
  (c) 0.49   (d) 0.09   (e) 104.87   (f) 9.06   (g) 13.06   (h) 427.61
3. 34.428, 34.35, 34.38, 34.439   **4.** (a) 5.4 cm by 2.8 cm   (b) 15.1 cm^2 **5.** (a) 23.4
  (b) 1.3   (c) 1.1   (d) 7.8   (e) 4.3   (f) 1.9   (g) 3.4
  (h) 399.2   **6.** (a) 2.71   (b) 40.26   (c) 6.48   (d) 4.64

Page 118   **HWK 2M**

  1. A   **2.** C   **3.** C   **4.** A   **5.** B   **6.** A
  7. A   **8.** B   **9.** C   **10.** C   **11.** B   **12.** C
  13. B   **14.** A   **15.** A

Page 118   **HWK 2E**

1. £180   **2.** 18 cm^2 **3.** £9600   **4.** (a) £45   (b) £45.75   **5.** £16.50
6. 12.1 × 19.78   **7.** 40 cm   **8.** about £8400   **9.** about £160   **10.** (a) 51.6   (b) 8.96
  (c) 23.6164   (d) 584.64   (e) 15.58   (f) 30.1

5.8 Circles

Page 119   **HWK 1M/1E**

1. (a) 5 cm   (b) 10 cm   (c) 31.4 cm   **2.** (a) 9 cm   (b) 18 cm   (c) 56.5 cm
3. (a) 44.0 cm   (b) 50.3 m   (c) 18.8 cm   (d) 119.4 mm   **4.** 55.0 mm   **5.** 2827 m
6. Circle B by 2.8 cm

Page 120   **HWK 2M**

1. (a) 254.5 cm²   (b) 132.7 m²   (c) 1661.9 mm²   (d) 201.1 m²   **2.** 3217.0 cm²
3. 38.5 m²   **4.** Circle A by 30.4 cm²

Page 121   **HWK 2E**

1. (a) 265.5 m²   (b) 190.1 cm²   (c) 12.6 m²   (d) 176.7 cm²   (e) 4.9 m²   (f) 141.8 mm²
   (g) 64.3 m²   (h) 52.4 cm²   **2.** circumference = 10.7 m, area = 9.1 m²   **3.** 2576 cm
4. (a) 113.5 cm²   (b) 43.7 cm

UNIT 6

6.1 More equations

Page 122   **HWK 1M**

1. (a) $y = 12$ (b) $x = 21$ (c) $n = 32$ (d) $m = 75$ (e) $p = \dfrac{1}{8}$ (f) $a = 63$

2. (a) $p = 3$ (b) $y = 10$ (c) $x = 4$ (d) $m = \dfrac{1}{3}$ (e) $n = \dfrac{5}{6}$ (f) $w = 9$

3. 11   **4.** (a) $n = \dfrac{6}{7}$ (b) $x = \dfrac{1}{4}$ (c) $p = \dfrac{4}{5}$ (d) $y = \dfrac{5}{8}$ (e) $w = \dfrac{1}{7}$

(f) $m = \dfrac{13}{15}$ **5.** 27p   **6.** (a) $m = 78$ (b) $p = \dfrac{1}{4}$ (c) $n = \dfrac{1}{24}$

Page 122   **HWK 1E**

1. (a) $n = 3$ (b) $w = 7$ (c) $y = 6$ (d) $x = 9$ (e) $m = 5$ (f) $p = 12$ **2.** $\dfrac{3}{8}$

3. (a) $w = \dfrac{3}{5}$ (b) $x = \dfrac{2}{3}$ (c) $y = \dfrac{4}{3} = 1\dfrac{1}{3}$ **4.** $x = 16°$, angles are $51°$, $141°$, $116°$, $52°$

5. (a) $w = \dfrac{5}{9}$ (b) $n = 7$ (c) $y = \dfrac{14}{5} = 2\dfrac{4}{5}$ (d) $p = \dfrac{1}{2}$ (e) $m = 3$ (f) $x = \dfrac{1}{5}$

6. (a) $6(3x + 4) = 96$, $x = 4$ (b) 44 cm

6.2 Sequence rules

Page 123   **HWK 1M**

1. (b) 4 times the shape number and then add 1   (c) $s = 4n + 1$
2. (c) 4 times the shape number and then add 4   (d) $d = 4n + 4$
3. (b) 9, 16, 23, 30   (c) 7 times the shape number and then add 2   (d) $s = 7n + 2$

Page 124   **HWK 2M**

1. (a) 10   (b) 19   (c) 157   (d) 3007   **2.** 2, 6, 10, 14, 18   **3.** $2n + 1$
4. 7, 13, 19, 25, 31   **5.** $4n + 3$ **6.** (a) $(8, -2)$ (b) $(40, -50)$ (c) $(101, -139)$
7. (a) $5n + 1$ (b) $7n$ (c) n^2 (d) $3n - 2$
8. (a) $3n$ (b) $2n + 3$ (c) $3n + 2$ (d) $9n - 4$

6.3 Metric and imperial units

Page 125   **HWK 1M**

(a) 350 cm   (b) 6 cm   (c) 2600 m   (d) 0.2 kg   (e) 7500 ml   (f) 0.3 m
(g) 9400 kg   (h) 46 mm   (i) 8.5 kg   (j) 8.7 l   (k) 400 g   (l) 0.35 km
(m) 2900 mm   (n) 6090 g   (o) 5800 mg   (p) 0.45 m   **2.** 1143 ml   **3.** 800 m
4. 11   **5.** 1648 mm

Page 126   **HWK 1E**

1. 27 feet   **2.** 96 ounces   **3.** 6 feet   **4.** 880 yards   **5.** 28 pints

6. 30 inches   **7.** 133 pounds   **8.** 63 inches   **9.** 4704 pounds   **10.** $7\frac{1}{2}$ gallons

11. 116 ounces   **12.** 125 pounds   **13.** 22 pints   **14.** 105 inches   **15.** 8 stones 7 pounds

16. 11 feet   **17.** 4480 yards   **18.** Rob by 1 pound

Page 127   *HWK 2M*

1. (a) 22 pounds   (b) 20 gallons   (c) 48 km   (d) 3 kg   (e) 27 litres

    (f) 240 cm   (g) 20 kg   (h) 20 miles   (i) 13.2 pounds   **2.** 100 miles

3. Tania by 2 cm   **4.** bag by 0.1 pound   **5.** 1.5 litres   **6.** 12 cm, 8 inches, 1 foot, 40 cm, 0.43 m

7. 500 g   **8.** £200 roughly

Page 128   *HWK 2E*

1. 246 mm   **2.** 1243 cm   **3.** 95   **4.** 0.115 mm   **5.** (a) 1 00 700 cm²   (b) 1600 cm²

    (c) 8700 cm²   **6.** 124 kg   **7.** 66 litres   **8.** (a) 1 00 000 000 000   (b) £22 500 000 000

6.4 Angles and constructions

Page 129   *HWK 1M*

1. $a = 72°$ **2.** $b = 29°$ **3.** $c = 60°$ **4.** $d = 38°, e = 71°$ **5.** $e = 70°$ **6.** $f = 130°$

7. $g = 65°$ **8.** $h = 56°$ **10.** (a) acute   (b) acute   (c) obtuse   (d) obtuse

    (e) acute   (f) reflex   **11.** 58°   **12.** 16°

Page 130   *HWK 1E*

1. $a = 95°, b = 63°$ **2.** $c = 93°$ **3.** $d = 53°$ **4.** $e = 142°$ **5.** $f = 52°$

6. $g = 36°, h = 69°$ **7.** $i = 118°$ **8.** $C\hat{D}E = 108°$ **9.** $x = 12°, Q\hat{S}T = 60°$

Page 131   *HWK 2M*

2. (d) MY = 4.7 cm   **3.** (c) DP = 4.6 cm

Page 131   *HWK 3M*

4. (c) PY = 4.4 cm   **5.** (d) AX = 3.5 cm

6.5 Three dimensional objects

Page 132   *HWK 1M*

1. (a) cone   (b) cuboid   (c) square based pyramid   (d) hemisphere

2. 5 faces, 5 vertices, 8 edges   **3.** 6 vertices   **4.** 6 faces   **5.** cylinder

6. (a)   (b) 8 faces, 12 vertices, 18 edges   **7.** 6 faces, 8 vertices, 12 edges

Page 133   *HWK 2M/2E*

2. square based pyramid   **5.** face 4   **7.** 6 cm